Collection folio cadet

traduit par Yves-Marie Maquet
mis en couleurs par Laure Massin

Supplément réalisé avec la collaboration de
Dominique Boutel, Nadia Jarry
et Anne Panzani

ISBN : 2-07-031238-0
Titre original : Die Ente und die Eule

Numéro d'édition : 49691
Dépôt légal : novembre 1990
Imprimé en Italie par La Editoriale Libraria

Le hibou et le canard

HANNA JOHANSEN ILLUSTRÉ PAR
KATHI BHEND

GALLIMARD

Il était une fois un bouleau,
dans une prairie.

En bordure de la prairie,
scintillait une mare.
Un canard nageait
sur l'eau de la mare.

Le canard plongea son bec
dans l'eau plusieurs fois de suite.

Puis le canard monta
sur la terre ferme,
s'ébroua
et regarda longuement
en direction de l'arbre.

Lorsqu'il eut assez regardé,
il s'écria :

« Hé, toi, là-haut ! »

« Hum », bougonna une voix tout en haut dans le bouleau.

« Es-tu un vrai hibou ? »
demanda le canard.

« Hum. »

« Descends donc un peu »,
cria le canard.

« Hum »,
bougonna encore le hibou
et il bâilla.
Puis il se laissa descendre
en battant des ailes.

« Oh ! dit le canard,
je n'aurais jamais cru
qu'un hibou
puisse avoir de si jolies ailes. »

« Hum », fit encore le hibou,
mais il était content
que le canard
lui ait trouvé de jolies ailes.

« Pourquoi dis-tu toujours "hum" ?
Tu ne sais rien dire d'autre ? »

« Bien sûr que si,
dit le hibou,
mais je n'ai pas envie.
Tu m'as réveillé. »

« Quelle époque !
dit le canard.
Comment peux-tu dormir
en plein jour ?
C'est impossible. »

« Je ne comprends pas
ce que tu veux dire,
répondit le hibou.
Je dors toujours
le jour. »

« Bizarre,
dit le canard,
c'est pourtant la nuit
que l'on dort. »

« Tu dis qu'on dort la nuit ?
Certainement pas !
La nuit, c'est bien trop excitant
pour dormir.
Quand il fait bien sombre,
qu'on peut ouvrir tout grands
ses yeux
et qu'on attend
de voir passer
quelque chose à manger. »

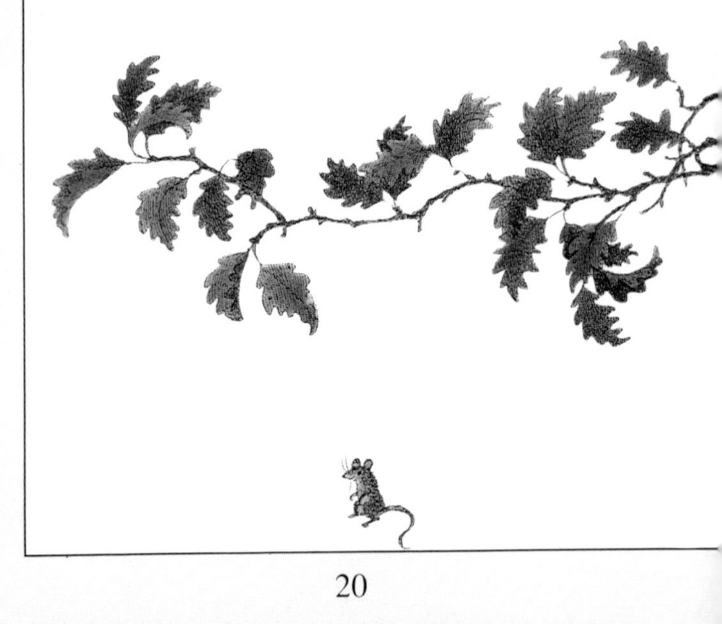

« N’importe quoi !
dit le canard.
Ce qui se mange
ne passe pas comme ça.
Il faut nager, plonger et chercher
jusqu’à ce qu’on trouve. »

« Quelle sotte façon de manger ! »
siffla le hibou.

Le canard s'énerva :
« Ce n'est pas sot,
c'est normal »,
dit-il avec colère.

« N'importe quoi,
dit le hibou.
Ce qui est normal,
c'est de planer
entre les arbres de la forêt,
sans un bruit.

« Et lorsqu'une petite bête
fait bruire
les feuilles mortes…

« … vif comme l'éclair,
on pique sur elle
et on la mange. »

« Effrayant !
s'écria le canard.
C'est dégoûtant.
Rien que d'y penser,
ça me rend malade. »

« Et toi,
qu'est-ce que tu manges ? »
grinça le hibou
d'une voix perçante.
Il s'énervait, lui aussi.
« De la bouillie pour canard,
c'est ça que tu manges ?
Pouah ! Ça me rend malade.
Et puis comment peut-on manger
en plein milieu de la journée ? »

La rage étouffait le canard :
« Si tu veux le savoir,
eh bien oui,
on mange en plein jour !
Tout le monde le fait ! »

« Qu'est-ce que tu me chantes ?
Personne ne fait cela,
hurla le hibou.
De toute façon,
la faim ne vient qu'à la nuit tombée. »

« Quelle stupidité !
cancana le canard.
Stupidité,
stupidité,
stupidité ! »

Ainsi allait la dispute
entre les deux oiseaux
posés dans la prairie.
Le hibou ouvrit et referma le bec

deux fois de suite,
comme si il réfléchissait.
Puis il s'ébroua.

« Dis-donc, toi le canard, fit le hibou,
pourquoi est-ce que
nous nous disputons, au juste ?
Est-ce que
tu te rappelles
comment tout cela a commencé ? »

« Naturellement, je me rappelle,
dit le canard.
C’est parce que tu fais
tout de travers. »

« Ce n’est pas vrai,
s'offusqua le hibou.
Je ne fais pas tout de travers,
je fais autrement que toi.
Mais ça marche aussi.
Je fais comme font
tous les hiboux. »

« Et moi, je fais comme font
tous les canards.
Tu as raison.
Nous avons tort
de nous disputer
pour ce genre de choses. »

Eh bien,
pensa le hibou,
ce canard-là me plaît.
Il a une façon de voir les choses
qui lui est très personnelle,
mais
nous devrions pouvoir
être amis.

« Comme tu as de drôles de pieds »,
dit le hibou.

« Ils ne sont pas drôles,
répondit le canard,
ils sont commodes
pour nager. »

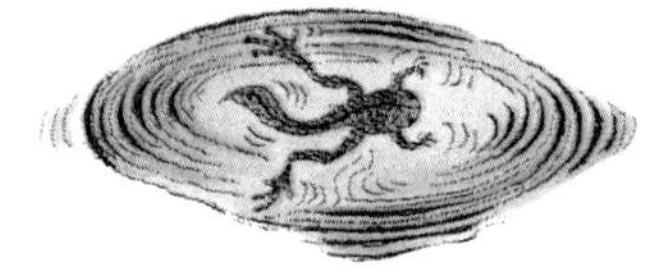

« C’est vrai qu’ils sont bien
pour nager,
dit le hibou,
à condition d’aimer nager.
Quoi qu’il en soit,
plus je les regarde
et plus je les trouve beaux. »

« Vraiment ? »
susurra le canard.

« Suis-moi,
proposa le hibou.
J'ai mal aux pattes
à force de rester ainsi par terre.
Allons plutôt
nous installer confortablement
dans le bouleau. »

« Comment ? »
dit le canard.

« Envolons-nous,
dit le hibou.
Nous serons mieux,
posés sur une branche. »

De toute sa vie,
le canard n'avait encore jamais
eu l'idée d'aller se poser
dans un arbre,
mais puisque cela faisait plaisir
au hibou,
il voulait bien essayer.
« Si tu le penses », dit-il.

Ils s'envolèrent ensemble
vers le bouleau…
... et se posèrent sur une branche
d'où ils pouvaient
voir très loin alentour.

« D'ici, on voit beaucoup mieux »,
dit le hibou, l'air heureux.

« Mmouais »,
grommela le canard.

Il regardait la prairie
et la mare que le soleil faisait briller.

Mais cela ne lui plaisait pas
d’être ainsi posé aussi haut
sur la branche d’un arbre.
Pas un instant,
il ne cessa d’avoir peur de tomber.

« Nous ne sommes pas bien ici,
dit-il au hibou.
Viens plutôt nager sur la mare. »

« Tu es devenu fou !
s'écria le hibou.
Dans l'eau ?
Tu veux ma mort ? »

« Ne t'énerve pas,
dit le canard.
Si tu veux,
nous pouvons retourner
nous poser dans l'herbe.
Vous, les hiboux,
vous êtes trop stupides
pour nager. »

« Et vous, les canards,
vous êtes trop stupides
pour tenir
sur une branche. »

« Quelle époque !
dit le canard.
Nous recommençons
à nous disputer. »

« C’est toujours toi
qui commences »,
fit observer le hibou.

« C’est faux,
cria le canard en colère.
Ce n’est pas moi qui ai commencé,
c’est toi qui as commencé. »

« Non, c’est toi », hurla le hibou.

« Non, c’est toi », cria le canard.

« Non, c’est toi », cria le hibou.

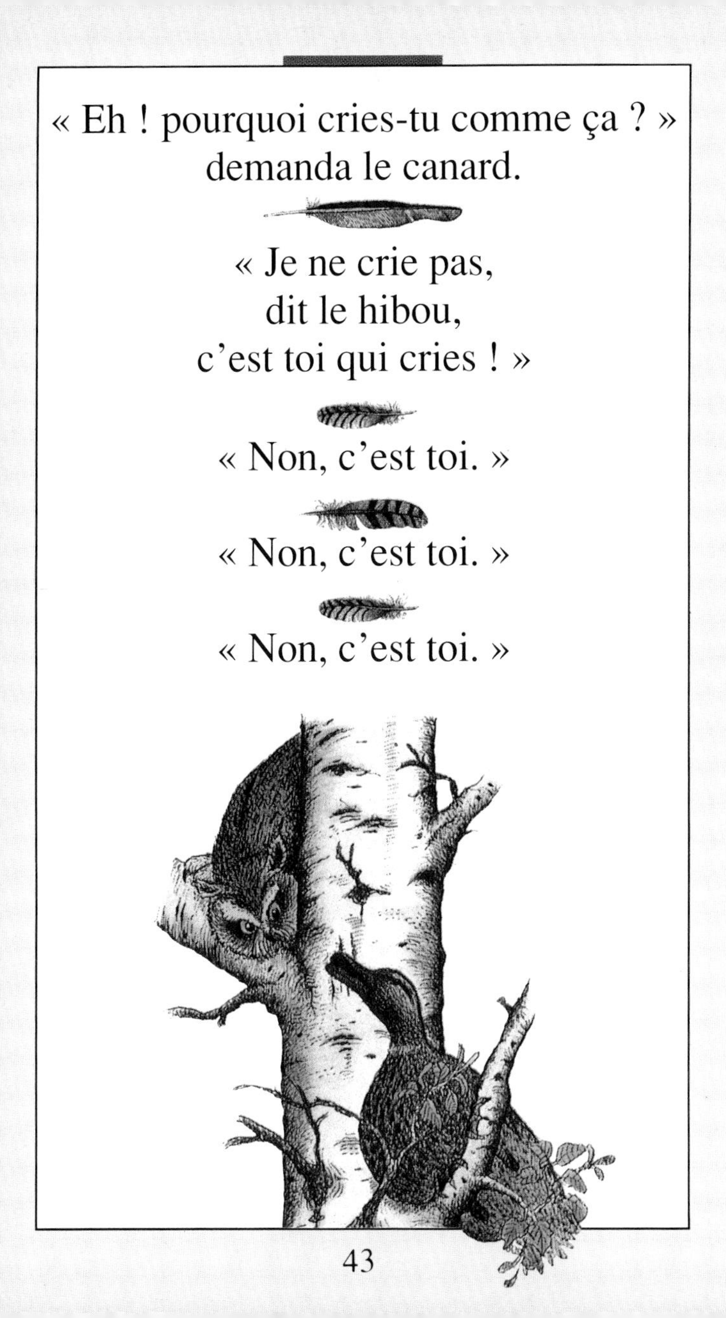

« Eh ! pourquoi cries-tu comme ça ? »
demanda le canard.

« Je ne crie pas,
dit le hibou,
c'est toi qui cries ! »

« Non, c'est toi. »

« Non, c'est toi. »

« Non, c'est toi. »

« Quelle époque !
dit le hibou.
J’en ai assez.
Pourquoi donc
nous disputons-nous sans cesse ? »

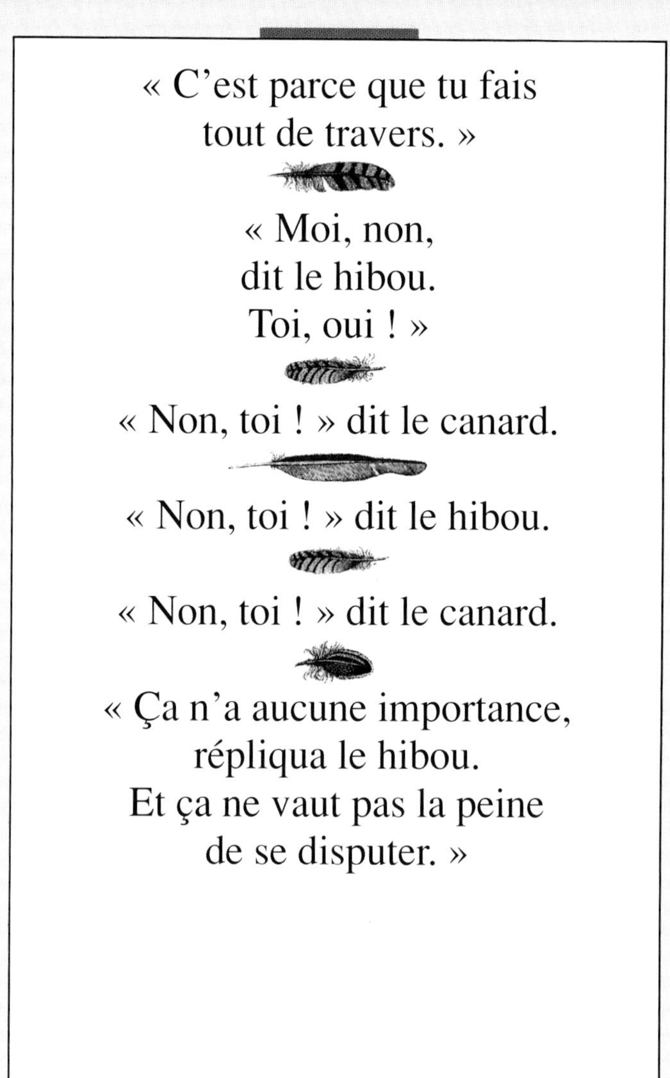

« C’est parce que tu fais
tout de travers. »

« Moi, non,
dit le hibou.
Toi, oui ! »

« Non, toi ! » dit le canard.

« Non, toi ! » dit le hibou.

« Non, toi ! » dit le canard.

« Ça n’a aucune importance,
répliqua le hibou.
Et ça ne vaut pas la peine
de se disputer. »

Le canard réfléchit
et dit :
« Non,
ça n'en vaut pas la peine.
Mais qui commence,
chaque fois ? »

« Je crois que c'est toi. »

« N'importe quoi !
railla le canard.
C'est toi. »

« Hum,
fit le hibou.
Tantôt c'est moi,
tantôt c'est toi. »

« Moi ? »
cria le canard.
Et il se mit à battre
furieusement des ailes.

« Ne remue pas tant d'air,
dit le hibou.
Tu veux
que je tombe ? »

« C'est bien, dit le canard,
mais si tu veux
que nous soyons amis,
cesse de me provoquer. »

« Cesse, toi, de me provoquer »,
siffla le hibou.

« Non, toi ! »

« Non, toi ! »

« Non, toi ! »

Alors le canard éclata de rire.
« J'en ai assez, dit-il,
et puis j'ai faim.
La faim rend irritable.
Je vais aller me chercher
quelque chose à manger. »

« Moi, je suis fatigué.
Chaque fois que je suis fatigué,
je me mets en colère.
Je crois que je ferais bien
de dormir un peu. »

Le canard se laissa descendre
en battant des ailes.

Il se posa à la surface de la mare,
se retourna et cria :
« Adieu, le hibou,
fais de beaux rêves. »

« Hum, fit le hibou d'une voix ensommeillée. Salut, canard, toi aussi, fais de beaux rêves. » Ses yeux se fermaient déjà.

« Ah, j'oubliais, ajouta-t-il, que tu ne dors pas pendant le jour. Tu ne t'endors que lorsque tombe la nuit.
Alors, bonjour, canard…

« … et à la prochaine. »

FIN

Hanna Johansen est née en 1939 à Brême, dans le nord de l'Allemagne. Elle vit maintenant en Suisse, à Kilchberg, près de Zürich, avec ses deux enfants. Elle écrit des romans, des nouvelles ainsi que des livres pour enfants qui ont été publiés dans plusieurs pays. *Il était une fois deux oursons* (Folio cadet) a été son premier texte traduit en français.

Käthi Bhend est née en 1942 à Olpen, en Suisse. Pour devenir graphiste, elle a suivi la voie de l'apprentissage et a débuté dans un atelier de sa ville natale. Elle a travaillé pour l'organisme d'exposition nationale, à Lausanne, jusqu'en 1971, date à laquelle elle s'est mariée avec un instituteur. C'est après avoir remporté le premier prix d'un concours d'illustration qu'elle a commencé à dessiner des livres pour les enfants.

Le hibou et le canard

Supplément illustré

Test

Aimes-tu les disputes ? Pour le savoir, choisis pour chaque question la solution que tu préfères. *(Réponses page 70.)*

1 Lorsque l'on te taquine, tu :

■ sors tes griffes

● t'enfermes dans ton cocon

▲ taquines à ton tour

2 La bagarre est un jeu :

● dangereux

■ violent

▲ amusant

3 Une dispute se termine toujours par :

▲ des rires

● des larmes

■ un gagnant et un perdant

4 Ton copain t'a emprunté ton jeu électronique sans ta permission :

▲ tu lui demandes de te le rendre tout de suite

● tu lui demandes de te le rendre plus tard

■ tu lui reproches son comportement

5 Lorsque quelqu'un n'est pas d'accord avec toi :

● tu le laisses penser ce qu'il veut
■ tu cherches à tout prix à le convaincre
▲ tu te moques de lui

6 Ton camarade a caché ton cartable :

▲ tu lui caches le sien
● tu cherches, c'est plutôt amusant
■ tu ne bougeras pas tant qu'il ne te l'aura pas rapporté

7 Si ton copain a triché aux cartes :

● tu abandonnes le jeu
■ tu décides de ne plus jamais jouer avec lui
▲ tu te mets à tricher

8 Ton ami et toi avez trouvé une pierre superbe :

■ tu la veux car tu l'as vue en premier
▲ tu décides de la jouer à pile ou face
● tu préfères qu'il la garde pour éviter les histoires

Informations

■ Bonsoir, hibou

Depuis sa rencontre avec le hibou,
le canard a constaté que pendant qu'il dormait tranquillement, d'autres animaux commençaient leur journée. Tiens-toi donc bien éveillé si tu veux en apprendre davantage.

■ Un rapace nocturne

Je suis un rapace nocturne : nocturne parce que je vis la nuit et rapace car je suis un oiseau qui chasse les proies vivantes tels les rats, les mulots et parfois les petits serpents. Ma vue est perçante et le plus faible rayon de lumière me permet de repérer ma proie. Ma tête est très mobile et j'ai, de plus, l'ouïe très fine. Je pique sur ma proie sans faire de bruit grâce à mes plumes douces et frangées qui glissent les unes sur les autres en silence

■ Les ducs

La chouette n'est pas ma femme ainsi que l'on se l'imagine souvent, mais elle appartient, comme moi, à la famille des ducs ainsi que la *dame blanche*, la *hulotte*, l'*effraie*, la *chevêche* et l'*harfang*.
Pour nous distinguer, c'est très facile : j'ai deux aigrettes sur le front, je ulule tandis que la chouette chuinte et, si elle aime la compagnie des hommes, je dois reconnaître que je ne suis pas du tout sociable.

■ Oiseau de nuit, oiseau de malheur ?

J'ai sans doute quelque raison de me méfier des hommes. Pourtant, pendant longtemps, ils nous ont vénérés car nous étions le symbole de la sagesse. Puis nous sommes devenus des oiseaux de malheur que les hommes clouaient aux portes lorsqu'ils les attrapaient. Heureusement, depuis le début du siècle, ils ont compris que nous pouvions leur être utiles car nous pourchassons les rongeurs qui sans nous seraient trop nombreux.

Mais voici que le jour se lève… Bonne nuit, je vais me coucher !

Jeux

■ Bon appétit !

Le hibou et le canard ne partagent pas
les mêmes menus. Il suffit de comparer leur bec
pour le comprendre.
Chaque oiseau ci-contre a un menu différent.
A toi de rendre à chacun celui qui lui convient.

1. Rats, marmottes et serpents, sont souvent à mon menu. Mon bec tranchant et recourbé me permet d'arracher les morceaux de chair de ma proie.

2. Mon bec énorme aux couleurs variées est en fait très léger. Il est creux à l'intérieur et je m'en sers pour cueillir et attraper les fruits.

3. J'adore les insectes ! Mon bec solide et pointu me permet de creuser les troncs d'arbres pour dénicher mon repas favori.

4. Mon grand bec est un bon instrument pour attraper et saisir les poissons qui constituent avec les insectes, l'essentiel de ma nourriture.

Illustrations A. Cameron
Le livre des oiseaux
Découverte cadet

(Réponses page 70.)

■ « Ou-Ou » fait le hibou !

Sept noms en « ou » font leur pluriel en « x ». Peux-tu les retrouver dans la grille ? N'oublie pas de lire de droite à gauche et de bas en haut.

(Réponses page 71.)

U	O	L	L	I	A	C
O	U	B	O	P	U	H
J	H	I	B	O	U	O
U	O	J	U	U	O	U
O	U	O	O	U	O	U
J	O	U	O	N	E	G

■ Chouettes ou hiboux ?

La chouette et le hibou se ressemblent beaucoup.
Mais si tu as bien écouté le hibou, tu dois pouvoir les distinguer.
Entoure la lettre qui correspond aux hiboux de cette page.
Les lettres que tu as entourées te permettront, si tu les mets dans le bon ordre, de retrouver le nom d'une chouette bien connue.
(Réponses page 71.)

Illustrations A. Cameron
Le livre des oiseaux
Découverte cadet

Réponses

pages 62 et 63

Compte les ▲, les ■ et les ● que tu as obtenus.
- Si tu as plus de ▲, une journée sans disputes te paraît vraiment morne et ennuyeuse. Quoi de plus amusant que de se chamailler ! Attention cependant à trouver des amis qui comprennent bien que tu ne fais que jouer !
- Si tu as plus de ■, tu aimes avoir le dernier mot et tu ne te laisses pas marcher sur les pieds. Tu n'hésites pas à te disputer s'il le faut lorsque tu crois que c'est nécessaire.
- Si tu as plus de ●, tu déteste les disputes. Tu aimes vivre en paix avec tes amis et tu préfères céder plutôt que te battre pour des choses sans importance.

pages 66 et 67

***Bon appétit : 1.** Aigle - **2.** Martin-pêcheur - **3.** Pic-vert - **4.** Toucan.*

page 68

« Ou-Ou » fait le hibou : *Hibou - Chou - Caillou - Genou - Bijou - Joujou - Pou.*

page 69

Chouettes ou hiboux : *les hiboux sont **U**, **E** et **O** car ils ont une aigrette ; **A** est une chouette harfang ; **I** est une chouette effraie.*
Il fallait trouver le nom : HULOTTE.

collection folio cadet

série bleue

Qui a volé les tartes ?, Ahlberg
La petite fille aux allumettes, Andersen/Lemoine
Les boîtes de peinture, Aymé/Sabatier
Le chien, Aymé/Sabatier
Le mauvais jars, Aymé/Sabatier
La patte du chat, Aymé/Sabatier
Les cygnes, Aymé/Sabatier
Le problème, Aymé/Sabatier
Les vaches, Aymé/Sabatier
La Belle et la Bête, de Beaumont/Glasauer
Faites des mères ! Faites des pères ! Besson
Clément aplati, Brown/Ross
Un amour de tortue, Dahl/Blake
Le doigt magique, Dahl/Galeron
Il était une fois deux oursons, Johansen/Bhend
Le hibou et le canard, Johansen/Bhend
Marie-Martin, Mebs/Rotraut Berner
Mystère, Murail/Bloch
Aurélio, Pausewang/Steineke
Dictionnaire des mots tordus, Pef
Le livre de nattes, Pef
L'ivre de français, Pef
Les belles lisses poires de France, Pef
Contes pour enfants pas sages, Prévert/Henriquez
Les inséparables, Ross/Hafner
Les inséparables et le secret de Noël, Ross/Hafner
Du commerce de la souris, Serres/Lapointe
Le petit humain, Serres/Tonnac
Anna, Grandpa et la tempête, Stevens/Tomes